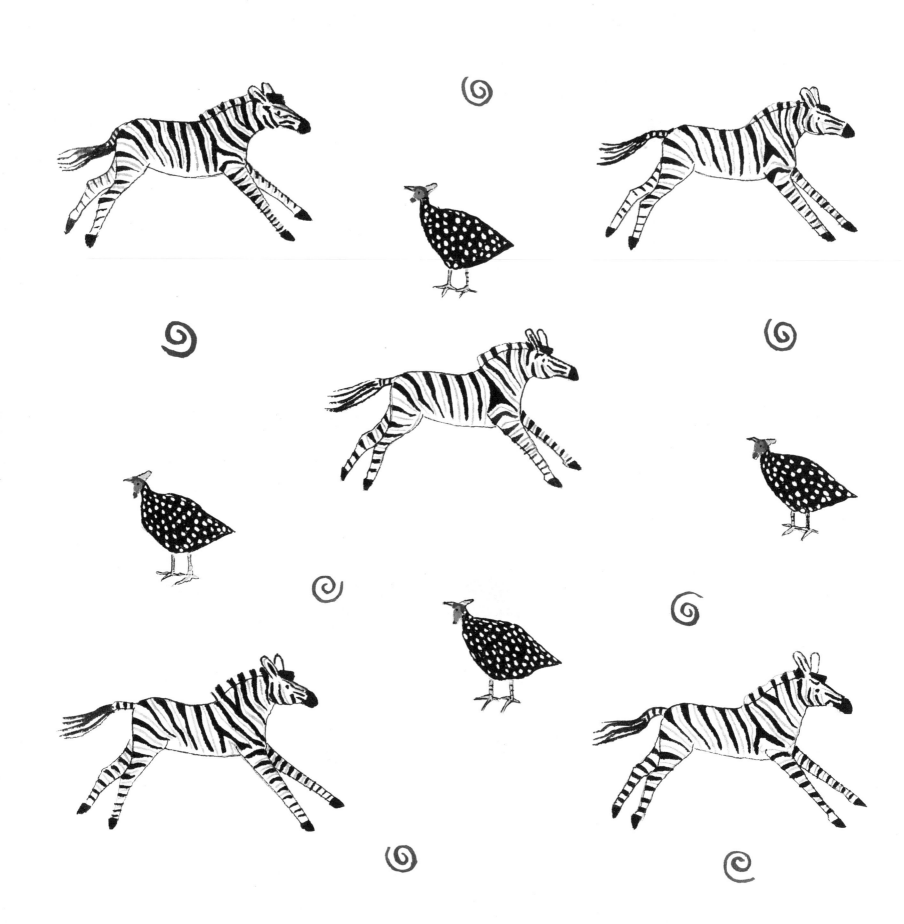

Todos juntos vamos de safari

Viajando y contando por Tanzania

¡Aprenderemos a contar en suajili!

Contiene un mapa de Tanzania y una explicación
sobre el pueblo masai

Para mis nietos – Tim, Gibson, Billy, Joe, Bennett –
y para los niños y niñas de la escuela de enseñanza primaria Farmingville – L. K.

Para Helen y Lucy, con amor – J. C.

Dirección colección: Lourdes Cusó
Traducción: Fina Marfà
Coordinación producción: Elisa Sarsanedas

Publicado por primera vez en Gran Bretaña el 2003 por Barefoot Books
124 Walcot Street, Bath, BA1 5BG

© *We all went on safari*, versión inglesa, 2003, Barefoot Books
© Texto: Laurie Krebs
© Ilustraciones: Julia Cairns
© versión castellana Intermón Oxfam, Roger de Llúria, 15. 08010 Barcelona
Tel 93 482 07 00 - Fax 93 482 07 07
e-mail: info@IntermonOxfam.org

ISBN: 84-8452-268-7

Impreso en Hong Kong

Todos juntos vamos de safari

Viajando y contando por Tanzania

Texto de **Laurie Krebs**
Ilustraciones de **Julia Cairns**

Intermón Oxfam

Todos juntos vamos de safari
Al salir el sol ya estamos a punto

Espiamos a un leopardo
Arusha sólo cuenta uno

moja 1

Todos juntos vamos de safari
Pisamos la hierba con paso veloz

Pasan corriendo unos avestruces
Y Mosi puede contar dos

mbili **2**

Todos juntos vamos de safari
Una vieja acacia de pronto aparece

Las jirafas comen de sus hojas
A Tumpe que sólo hay tres le parece

tatu **3**

Todos juntos vamos de safari
Nos adentramos en el cráter del volcán

Oímos cerca el rugido de los leones
Mwambe cuatro llega a contar

nne **4**

Todos juntos vamos de safari
En el lago los pájaros pescan con sus picos

Dos hipopótamos nos miran desde el agua
Akeyla cuenta que hay cinco

tano **5**

Todos juntos vamos de safari
En las ramas de un árbol vamos a descansar

Contemplamos a unos curiosos ñus
Watende hasta seis llega a contar

sita **6**

Todos juntos vamos de safari
El sol desde lo alto del cielo nos calienta

Vemos algunas cebras rayadas

Zalira con sus dedos hasta siete cuenta

saba 7

Todos juntos vamos de safari
A las puertas del Serengueti el grupo llega

Asustamos a unos jabalíes de paso altivo
Sushuba tantos como ocho cuenta

nane 8

Todos juntos vamos de safari
Aquí los árboles te tapan si llueve

Oímos los gritos de unos monos
Doto los mira y llega a contar nueve

tisa 9

Todos juntos vamos de safari
Con las rocas, a veces, damos traspiés

Enormes elefantes desfilan por delante
Bodru cuenta que son diez

kumi **10**

Todos juntos vamos de safari
El sol se oculta tras los lejanos montes

Encendemos una hoguera
Y a nuestros amigos les damos las buenas noches

Animales de Tanzania

Leopardo – chui (*choo*-ee)

Los leopardos suelen llevarse a su presa hasta las ramas más altas de los árboles, donde pueden comer y dormir sin peligro. Sólo les delata su larga cola moteada colgando de su escondrijo.

León – simba (*sihm*-bah)

La leona caza para alimentar a su familia, que puede estar formada hasta por trece miembros.

Avestruz – mbuni (*m-boo*-nee)

Los avestruces son más altos que muchos jugadores de baloncesto y llegan a medir más de dos metros. ¡Además, son unos corredores muy veloces!

Hipopótamo – kiboko (*kee-bo*-ko)

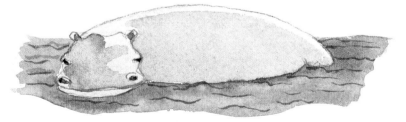

Los hipopótamos se pasan el día en remojo dentro del agua, con las orejas dobladas y la nariz cerrada, para protegerse la piel de la sequedad que provoca el sol.

Jirafa – twiga (*twee*-gah)

Las jirafas tienen una lengua muy larga y sus mullidos labios superiores les permiten comer sin herirse con las puntiagudas espinas de su alimento preferido, la acacia.

Ñu – nyumbu (*nyuhm-boo*)

Los ñus nos recuerdan a diferentes animales.
Tienen la cabeza de toro, la crin de caballo, los
cuernos de búfalo y la barba de cabra.

Cebra – punda milia (*pun-dah mee-lee-ah*)

Al igual que las huellas dactilares de las personas, todas las cebras tienen
su propio diseño de rayas blancas y negras que las ayuda a camuflarse al
amanecer y a la puesta del sol, cuando los leones salen a cazar.

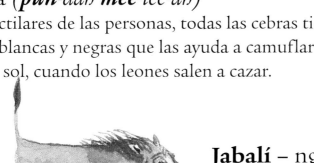

Jabalí – ngiri (*ngee-ree*)

Las familias de jabalíes caminan a paso rápido y en fila;
abre la marcha la madre seguida de los jabatos, y todos
con su cola tiesa y bien erguida.

Vervet – tumbili (*tuhm-bee-lee*)

Los bebés del mono vervet siempre van
a pasear en brazos de su madre, muy
abrazados a su piel y con la cola
enrollada a su espalda para no caerse.

Elefante – tembo (*tem-bo*)

Las madres elefantas
cuidan de sus hijos con
una ternura sorprendente.
Los esconden bajo las
patas o los ponen en
medio del grupo cuando
la manada se desplaza.

El pueblo masai

Los masai del África oriental viven en el norte de Tanzania, en la parte fronteriza con el sur de Kenia. Suelen vivir unas cuantas familias en pueblos pequeños. Construyen las casas con barro, palos, hierba y excrementos secos de vaca. Se dedican a cuidar los rebaños, su principal ocupación. Cuando hay comida abundante y buenos pastos para los animales, los masai se quedan en el pueblo, pero cuando la tierra se seca y cambia la estación, se van a buscar agua y nuevos pastos para el ganado a otros lugares.

Los masai, un pueblo orgulloso, son altos y esbeltos y visten unas túnicas muy elegantes de un intenso color rojo. Hombres y mujeres se engalanan con pendientes y collares. Algunos hombres llevan peinados muy imaginativos y adornos muy elaborados. Las mujeres normalmente se afeitan el cabello y se ponen collares redondos y anchos, de color blanco, que se balancean al ritmo de su paso.

Los masai han vivido durante siglos entre los animales del África oriental. Pero en el mundo actual, en el que todo cambia tan deprisa, tienen que luchar para defender su estilo de vida ya que es una de las últimas culturas de pastores que quedan en la tierra.

Los nombres suajili

Cuando los padres tanzanos eligen un nombre para su hijo, suelen escoger uno que tenga un significado especial. Esperan que su bebé vaya creciendo con las cualidades que atribuyen al nombre que le han puesto.

ARUSHA (f) *(ah-**roo**-shah)* – Independientes, creativos, ambiciosos

MOSI (m) *(**mo**-see)* – Pacientes, responsables, amantes de la familia y el hogar

TUMPE (f) *(**toom**-pay)* – Sociables, divertidos, emprendedores y organizadores

MWAMBE (m) *(**mwahm**-bay)* – Pulcros, pacíficos, buenos negociantes

AKEYLA (f) *(ah-**kay**-lah)* – Amantes de la naturaleza y de la vida al aire libre

WATENDE (m) *(wah-**ten**-day)* – Sensibles, generosos, creativos

ZALIRA (f) *(zah-**lee**-rah)* – Comprensivos, tranquilos, sociables

SUHUBA (m) *(soo-**hoo**-bah)* – Inteligentes, talentosos, afectuosos

DOTO (m/f) *(**do**-to)* – Generosos, afectuosos, serviciales

BODRU (m) *(**bo**-droo)* – Trabajadores, terminan siempre lo que empiezan

Cómo es Tanzania

Tanzania es el país más grande del África oriental. Es casi tan grande como Francia.

El Kilimanjaro es la montaña más alta de África, mide 5.898 metros de altura.

El lago Victoria, en el norte del país, es el segundo lago más grande del mundo.

Hasta 1961 el país se llamó Tanganika. Hay un lago que todavía conserva este nombre, el lago Tanganika. Ahora Tanzania está formada por Tanganika y la isla de Zanzíbar.

En Tanzania viven más de 100 tribus.

El nombre de Serengueti quiere decir "llanura sin fin".

El cráter del Ngorongoro es un volcán extinguido. Antiguamente era más alto que el Kilimanjaro. Ahora tiene la forma de un cuenco profundo.

A la garganta de Olduvai a veces se la llama la cuna de la humanidad porque allí se encontraron huesos de seres humanos muy antiguos.

Los números en suajili

1

moja
(**mo**-jah)
uno

6
sita
(**see**-tah)
seis

2

mbili
(m-**bee**-lee)
dos

7
saba
(**sah**-bah)
siete

3
tatu
(**ta**-too)
tres

8
nane
(**nah**-nay)
ocho

4
nne
(**n**-nay)
cuatro

9
tisa
(**tee**-sah)
nueve

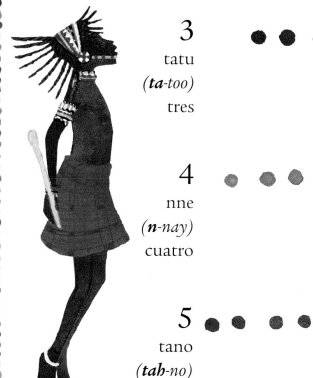

5
tano
(**tah**-no)
cinco

10
kumi
(**koo**-mee)
diez

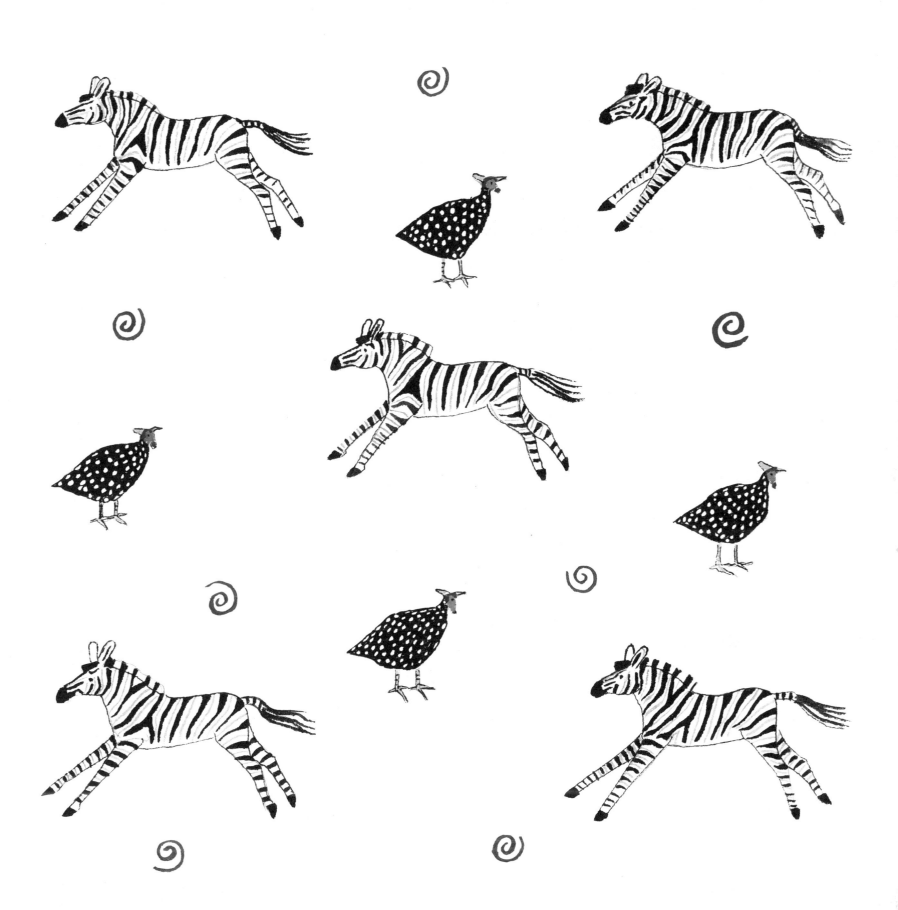

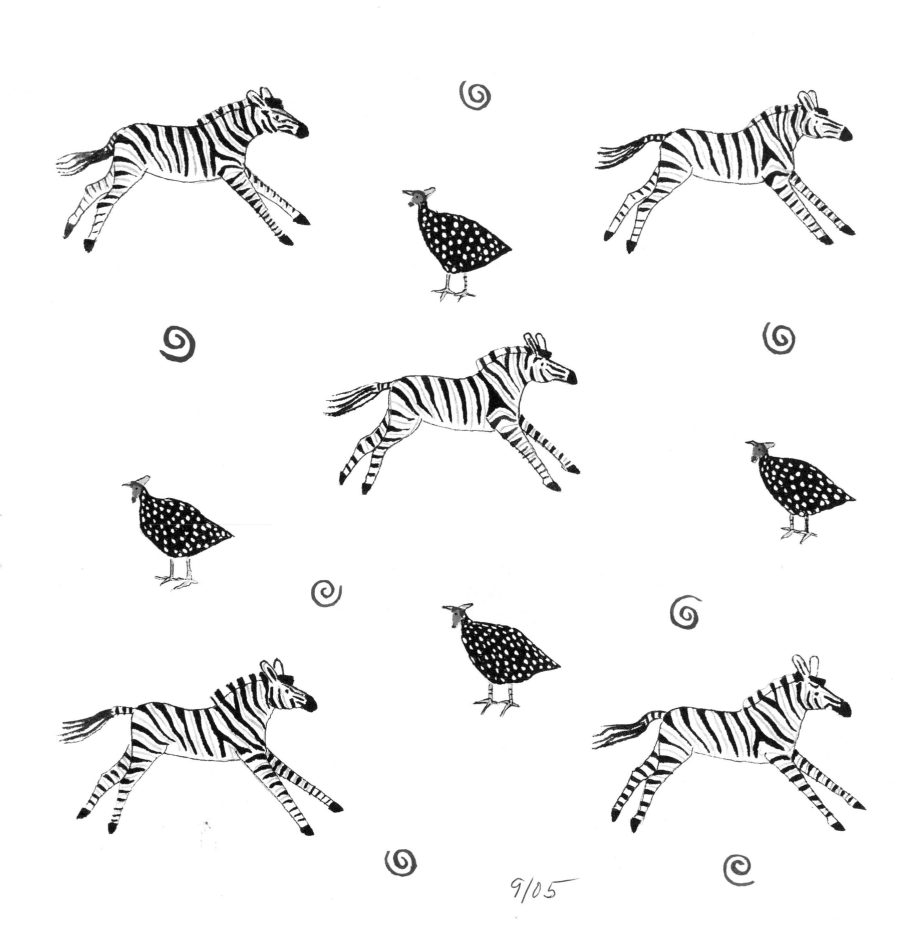

9/05